科学実験対決漫画

実験対決

㊶ 海の資源と汚染の対決

科学実験対決漫画

実験対決
㊶ 海の資源と汚染の対決

文：ストーリーa.　絵：洪鐘賢

目次

登場人物

ウジュ

所属：韓国代表実験クラブBチーム。

観察内容・お菓子をたくさん買い込んで、ケガをした相手チームのメンバーをお見舞いする心温かい少年。
・失格の危機に直面した状況をどうしても受け入れられず、平常心を失い実験練習や食べることに執着する姿を見せる。

観察結果：失格に対する不安な気持ちを明るい表情で隠そうとするものの、彼のおかしな行動は止まらない。

ウォンソ

所属：韓国代表実験クラブBチーム。

観察内容・ネガティブな状況を淡々と受け入れているように見えるが、内面には複雑な気持ちを抱えているようだ。
・一見クールに見えるが、ウジュがいなくなると誰よりも一生懸命に探し回る。

観察結果：感情に走らないで現実を冷静に受け取めるフリをするが、対決に対する情熱は隠せない。

カンリム

所属：中国代表実験クラブAチーム。

観察内容・勝負に対する執着心が誰よりも強いリーダー。
・優勝という夢から遠ざかると、体中に触覚が生えたかのように敏感で繊細になる。

観察結果：実験における爆発事故と失格の危機に、怒りに似た感情に襲われている。

ラニ

所属：韓国代表実験クラブBチーム。

観察内容・絶望するチームメイトの気持ちを癒やすためにいろいろとフォローする温かい心を持つ少女。

・ウジュとウォンソの様子が急に変わったのを見て不安に感じる。

観察結果：失格の危機に直面した状況でもチームメイトを励まして雰囲気を盛り上げるために努力する。

ジマン

所属：韓国代表実験クラブBチーム。

観察内容・他の人では気付くことのできないウジュとウォンソの心の変化を正確に把握する分析力。

・心配しながらも、チームメイトの状態や対決結果を見守っている。

観察結果：細かい記録やデータを分析して、実験だけでなく、彼なりの方法で友人関係もサポートする。

その他の登場人物

❶ 失格の危機に直面した韓国Bチームを心配するセナ。

❷ 韓国Bチームの素早い行動を見て感動するマックス。

❸ 対決の結果より生徒たちのことを先に心配するエン先生。

第1話 実験装置の爆発事故

バン
爆発だ！
爆発！！
ウワァッ

ウワァッ
実験装置が
爆発した！
ザワ

中国Aチーム……、いや韓国Bチーム……？
ザワ
ザワ
どっちのチーム？
ガバッ

ザワ
ザワ
中国Aチームの実験装置だ！

ハァ
ハァ
カンリム！
大丈夫！？
コホッ
コホッ
一旦安全な場所に
行こう！
ブル
ブル
立てるよね？
あ、あ……！

……血！

みんな後ろに下がって！
サッ
サッ
サッ
あの……、ケガ人が出たようです……。

2次爆発が起きるかも知れないので急いで実験装置を撤去して下さい。
ザッ
ザッ
はい。
くれぐれもナトリウムの取り扱いには気を付けて下さいね。

ヒソ
ヒソ

実験装置を全部回収してるぞ！
ザワ
ザワ
爆発の原因を正確に調べなきゃいけないからな。
ザワ
ウィーン

どれどれ……。
幸い擦り傷の他に異常はなさそうだけど……。念のため保健室に行って検査しておこう。
はい……。

どうしよう。
ケガをしたのか？

ザワ
ザワ
大丈夫なのかな？血が出てる。
ひどいケガじゃなきゃいいけど……。
ザワ

韓国Bチームを見た？ さすがだね～！
え？

あの子たちじゃなかったら、事故がこの程度で収まらなかったんじゃない？ 正確な判断力と素早い行動力、ハンドボールをしたら上手だろうなあ。
仲間に欲しいなあ。
サザッ
この状況でハンドボールの話？

それにしても、どうして中国Aチームの実験装置が爆発したの？

そうね。爆発実験をしたのは韓国Bチームだったよね。でも、肝心の韓国Bチームの実験は失敗して……。
シーン

正確なことは調査で分かるでしょう。
でも、あの映像がヒントになりそうだね。

ザワ
ザワ
バタッ
中国Aチームが
韓国Bチームの材料を
こぼしちゃった！

韓国－あかつき小の講堂
あそこで
材料が混ざったん
じゃない？
ザワ ザワ
それで中国Aチームで
ナトリウムの爆発が
起きたみたい！

はい、見た通り、材料が混ざったせいで、両チームの
実験が共に失敗したものと推測されます。
普通、
このような場合、
対決の判定は……。
ゴクッ
判定は
……!?

すでに発表された１回目の採点結果では、俺たちがリードしてた。
ドキッ
ドキッ
ドキッ
そうだ！たとえ事故で減点されたとしても大きな問題はないハズ。
ドキッ
事故原因をハッキリさせなくてはいけませんが、
詳しい調査を行って、
普通こういった場合は当然……。

失格に……。
コクッ

何!?失格？
スーッ
今……、何て？

聞いたか？
今……。
ガシッ
オイ、カンリム！
緊張してるのか？　心配するなって。
大きな問題にはならないから！

そういう問題じゃ
ないんだ！
フ〜
フウ！　僕も昔ケガをして
血が出た時は地獄に落ちた
気持ちだったけど、そのうち
新しい皮膚ができたのを見たら
まるで新しい命をもらった
気になったよ。だから
あまり心配……。

え？　友達の
心配じゃ
なかったの？

あいつがケガしたのは
どうでもいい！
ムカッ

今何が起きてるのか分かるか？　不注意による爆発事故だよ。その上、ケガ人が出たんだ！
こういったケースで、出される判定は決まってるんだ。これで僕らのチームは……。
まさか……。
これで何？え？どうなるの？
頼む……。

もう行こう。
どうして？　今カンリムが話してるだろ。
ザッ
僕らが失格になれば君らだって平気ではいられないぞ！
ピタッ

え？ 何て言った？ 失格？ 僕の聞き間違い？
イヤ、間違ってない！

僕らがどうして失格なんだ？
ホジ ホジ

ホラ！ 君らの実験材料がどうしてあそこにあるんだ？
そりゃ、僕が準備してる途中で少しその場を離れ……。

そうだろ！ この事故は材料を放置したお前にも責任があるんだよ！
ドドン
ええっ？ ……僕？

オイ、ウォンソ！　聞いた？
この事故、僕に責任があるって。
そんなのおかしくない？
シーン
……。

理屈が通らないよね。
だろ、ジマン？
ジッ
ジッ
……。

何、この空気は？
どうしてみんな返事がないんだ？
おかしいって
言ってよ、ね？
エエ
まさか

事故が起きなければ
大きな問題じゃなかったん
だけど。でも……。
ウジュ、誤解しないでね。
全部があなたの責任という
ワケじゃないの。
対決ルールという
のがあるんだ。
それじゃ、カンリムの
言った通りなの？
ハッ

じょ、冗談は
止めろよ！
面白くないよ！
グラ
グラ
ザワ
ザワ
ザワ

ウジュは何言ってるの？
結果発表はどうして
こんなに遅いの？
判定が難しい
んだろう。
かなりリードしていた中国Aチームが
失格になったら……。衝撃が大きい
だろうね。
だからもっと
微妙な立場なんだ、
韓国Bチームは。

コッ
コッ

ザワ
ザワ
結果を発表するみたい！
ついに!!

韓国Bチーム対中国Aチームの本選対決は、2回目の実験中の事故により中止いたします。
パッ
パッ
対決の結果は事故の原因と責任についての会議を行って、明日発表します。

ザワ
結果の発表は明日？
ザワ
どうして!?
何だ、どうして延ばすんだ？
ザワ
ザワ
カンリム。

みんな、大丈夫かい？
ケガはないかい？
先生……。
結果発表が
どうして延び
たんですか？

それが、監督官３人の
意見が違うから会議が
必要らしいんだ。
意見が違うって、
どういうこと？

１人は事故を起こした中国Ａチーム
だけを失格にするという意見、
別の１人は事故の原因を作った
韓国Ｂチームを失格にするという意見、
最後の１人は……。
両者に責任があるから、
両チームとも失格にしなければ
ならないとの意見なんだ。
ガーン
し、失格！
僕らが失格なんて
……！

韓国ーあかつき小の講堂
おかしいよ!!
ザワ
ザワ
どうしてウチのチームも失格の対象になるんだ!?

何がおかしいって!? 実験中の事故は自動的に失格になるケースなんだぞ! これまで実験事故が起きた対決で勝ち上がったチームはなかったんだ!

たったの1チームも。
サッ

ア……
そんな……。
本当にこのまま終わるの?

ウェー!!
もう1度確認してみなさい。たった数秒、実験材料から離れただけで失格なんて。それって、プランクトンみたいに小さなミスじゃないのか?
言い張ってもムダですよ。

お前さん、今プランクトンって言ったかい?

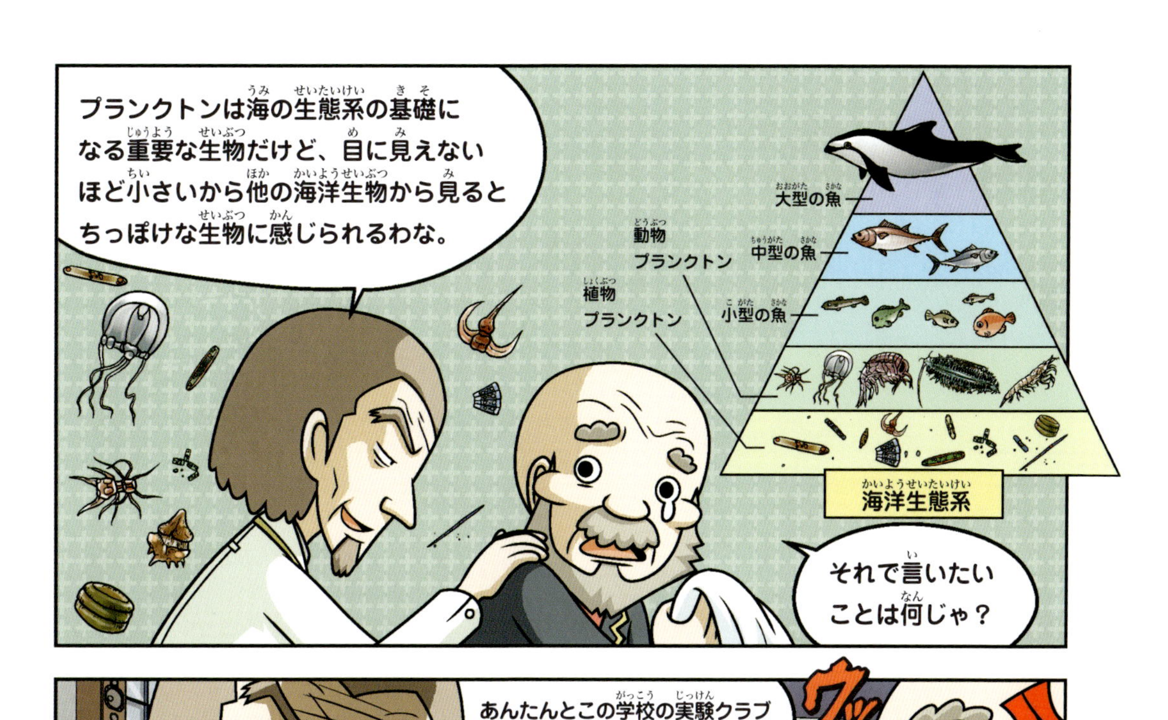

プランクトンは海の生態系の基礎になる重要な生物だけど、目に見えないほど小さいから他の海洋生物から見るとちっぽけな生物に感じられるわな。
大型の魚
中型の魚
小型の魚
動物プランクトン
植物プランクトン
海洋生態系
それで言いたいことは何じゃ？

あんたんとこの学校の実験クラブなんじゃが、まるでプランクトンのようじゃと。
ウッ
コクッ
コクッ

大きな魚のエサになる小さくて弱いプランクトン！
運で何とか勝ち上がった韓国Bチームの最後が悲劇的な失格負けとは、天は公平だという証拠だね！
ジャーン

そうですね。
完璧な喜びと言うには何かが引っかかるんだけど。
でも……、この気分は何て言うんだろう？あんなに待ち望んだ日が来たのに、素直に喜べないな。

まさにこれだった。プランクトン実験クラブに再会しなければならない不快感！！

そうだよ～！本選に進出しただけでもスゴいことだよ。
フン、それでも僕らは実験クラブが誇らしいぞ。
その通りだよ。太陽小はそれもできなかったじゃないか！
ザワ
ザワ
ザワ
ワシらは立派に帰って来るメンバーを喜んで迎えるわい。
そうだ！

心の片隅がゾクッとしたのはそれだったのか！

僕もなんか気まずいけどスッキリして……。
不快だけど、楽しいこの気分って何だろうね？
あのう。
オイ、あんたたち、いい気になりおって……。
カチーン

その気分が何なのか、
帰ってから見つけたら。
お2人さんよ。
ジロッ

直ちにウチの学校から出て行け！
ドカドカ
本当、初めて感じる複雑で微妙な気持ちだ！
以上、太陽小とあかつき小の合同実況中継放送を終了します。また次回お会いしましょう〜。
スタタッ
走ろう！校長先生。
走ってるけど。

実験　海水から淡水を作る

地球表面の約３分の２は水で覆われています。その中で私たちが日常生活で使うことのできる水である湖や河川、地下水といった＊淡水は、地球全体の水の約2.5％に過ぎません。約97.5％は海水が占めているのです。それなら、海水を利用して日常生活で使用できる水は作れないのでしょうか？　食塩水を使った簡単な実験を通じて、海水から塩分のない淡水を作る方法について調べてみましょう。

準備する物　洗面器、グラス、ラップ、コイン３～４個、食塩、絵の具、水

❶ 洗面器に３分の１ほど水を入れます。

❷ 少しの食塩と絵の具を入れ実験用の海水を作ります。

❸ 洗面器の中に空のグラスを入れて、ラップで洗面器を覆います。

❹ ラップがグラスの中央に垂れるよう、ラップの上にコインを載せます。

＊塩分を含まない水のこと。淡水のうち、大部分は地下水や氷河として存在しており、利用しやすい形で存在している湖や河川の水は地球全体の水のわずか0.01％程度と言われています。

❺ 日差しが強い場所に置いて、2、3日観察します。

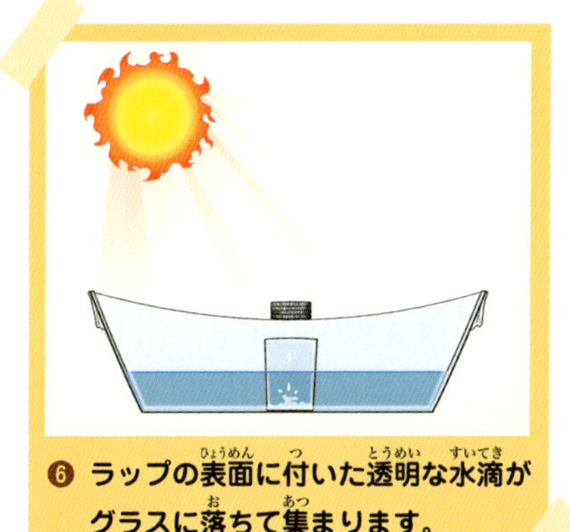

❻ ラップの表面に付いた透明な水滴がグラスに落ちて集まります。

どうしてそうなるの？

グラスの中に集まった透明な水は、気体が液体になる凝縮という現象によって得られたものです。冬になると、窓ガラスの内側に付く水滴（結露）も、空気中の水蒸気が冷たい窓ガラスに触れて凝縮したものです。冷たい氷水が入ったグラスに付いた水滴も凝縮によってできたものです。洗面器に入った食塩水が強い日差しによって加熱されると水だけ蒸発して水蒸気になります。こうしてできた水蒸気は冷たいラップの表面に触れて小さな水滴の形で付き、付いた水滴が集まりだんだん大きくなってグラスに落ちるのです。食塩水が蒸発してできた水蒸気に塩分がないのは、食塩水と水の沸点が違うからです。このように、海水から塩分を取り除いて川や湖の水のような塩気がない水を作る過程を淡水化と言います。今回の実験は淡水化のさまざまな方法の中の蒸発法を利用したもので、これは歴史的に最も古い淡水化の方法でもあります。

凝結の例　冬の窓ガラスや冷たいグラスに空気中の水蒸気が凝結してできた水滴が付いている。

第2話 失格の危機に直面！

それでは、これより
日本チーム対フランスチームの
対決を始めます！
ワァァ
ワァァ

保健室1
カチャッ

ワァァ

息を吐いて。

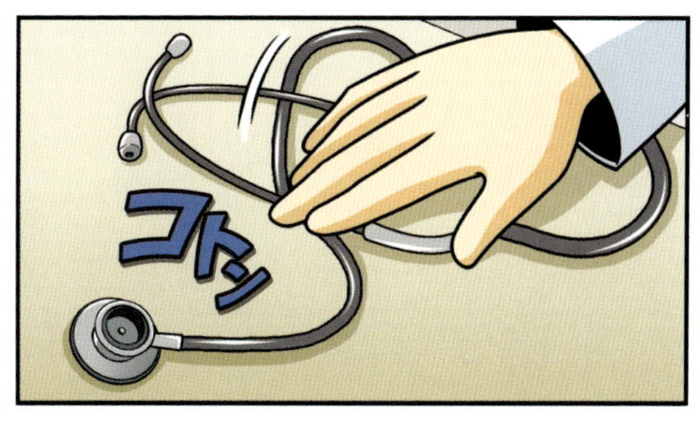
コトン

終わったよ。特にケガもないし、脈拍や体温、呼吸もすべて正常だ。もし異常があればすぐに来なさい。
はい……。

良かった。僕も異常ないって。
コクッ
……。

良かったね。じゃあ、僕は行くよ。
カチャッ

オイ……
カンリム。
そのまま
行くのか？

すぐに
目を覚ますハズだから、
顔だけでも見て行こうよ。
スーッ
……。

大したケガではなかった
らしいけど、スゴく
驚いたと思うよ。
僕らが失格に
なったら、
もっとショックを
受けるな。

言葉に気を付けな。
失格だって!?
まだ決まったワケ
じゃない。
そうだね……。
そりゃ、そうだと
いいけど……。

クルッ
会いたいなら
お前たちだけ会いな。
俺はやることがあるから。
オイ、
カンリム！

バタン
カンリム!!
やることが
あるって何さ？
カンリムも信じたくなくて
ああいう態度なんだろう。
理解してあげよう。
バタッ

……。
それでもさあ、
気難しいなあ〜。

わたしたちが
失格だって……？
スタ
スタ

ルルルー。
スタ
スタ
スタ

休まなくても平気さ。
僕は全然疲れてないぞ。

会議？
うん……。

みんな疲れただろう？
少し休んでから
会議しよう。
カチャッ

あんな大事故が起きてもケガ１つない
ラッキーボーイ
だから！
フッ
でも、少し休んだら。
僕は図書館に行かなきゃ
いけないんだ。
あ……。
ウジュとウォンソは
強いのね！　私は
こんなに不安で一杯
なのに……。
また私だけ
バカみたい……。

じゃ、後でね。
私はもう部屋に
戻る……。
パッ
ラニ！
行かないで。
僕、怖いんだ！
ブルブル
ジマンも私と
同じ？
本当？

そうだよ。あの２人と同じ部屋にいるんだよ。何が起きるか分かんないよ！だから、僕１人を置いて行かないで。
ザッ

どうして？ウォンソもウジュも平気そうだけど？
あれ？

イヤ！　よく見てみてよ！あの２人、普通じゃないんだ！
ザッ

ウジュは現実を否定してる。当然、次の対決に進むって思ってる。
ウ～ン、この本にはまだしたことのない実験があるぞ。次の対決のためにチェックしておかなきゃ。
このまま本当に優勝するんじゃない？
あ……。

そしてウォンソは当然のように、僕らのチームの失格を受け入れてるよ。
フウ、この本はまだ読んでないけど、明日帰るなら今日返さなきゃ。

そういや……。
ドン
見えるわ!
見える!!

普通ならこうならなきゃいけないのに……。
アタフタ
本当に失格になるんじゃないよね?お願い!
オオ〜、神よ!
フン
まだ決まってもいないのに大騒ぎすんな。

でも今は……。
ポ〜
僕らは当然次の対決に進出するよ!
僕らはココまで!すべてを置いて発つのさ……。

まさか。
そこまでは……。
僕の過去のデータによると、2人とも普通じゃない時、大きな衝突が起きることになってる！
クルルルルル
本当に怖くて心臓がドキドキして、鼻の穴がピクピクするんだ。
ウッ
ジマン。

ガシッ
サッ

困るよ。
これは返却する本なんだ。
今すぐに。
オ～、これは初めて見る本だけど。僕にも見せて！

何をそんなに急ぐんだ？
次の対決の準備をしなきゃ。
明日帰ることになるのに、何が対決の準備だよ。
始まったのかな！

何？　未練だって？　そう、優秀なお前はこの対決に未練なんてないよね。望めばいつでも実験対決に参加できるだろうから。でも、僕は違う!!
ウジュ……。
ギュッ

帰るってどこに帰るんだ？
中国Aチームが失格になれば僕らが自動的に勝ち上がるハズなのに？
ウ～
そんなことはないだろうから、未練を持つな。

僕はもしかしたら今回が最後……。
君にそんなこと言う資格がある……？

これは金属ナトリウムだよ。
イヤ、この実験の進行は僕がしたんだった。ウジュにナトリウムを任せたのも……。
これぐらい簡単さ。
スッスッ
バン

……僕だった。
スルッ
ウオオオ？
ヨロッ

見たよね？ これは明らかにウォンソがわざと離したんだ。
ボ～
ギュッ

ウジュ！
ガタン

それはつまり！
この本はもう僕が見てもいいってこと！
ピョン
ハハ、やっぱり普通じゃない。
スタタッ
サッ

僕1人でも次の対決の準備をするんだ！
オイ！その本……。
ハハハハ

どこに行くのかな？
そうだね……。

僕が探して来るよ。2人は心配しないで。
ア～、親切なウォンソ。
あの、君がもっと心配なんだけど。

何だ、ココにいたの？
診療室にも実験室にもいないから。

ウウン、それと……。
ウジュだ。
ウッ……

この状況で売店にいるなんて誰が予想できる？
フゥ……

何ともないわね？心配して損した。
タコの足
バター焼
チョコボール
イカ焼き
これとそれとあれと、み～んなください！
他のチームメイトの姿が見えないけど？

トボ
聞いてみよう。
あれ？
カンリム！
ピタッ

このままだと
2人が出くわすわ。
中国Aチームと
韓国Bチームが対決後に
会うのは初めての
ハズ！

よりによってそれぞれの
チームでいちばん興奮
しやすい2人が……！
クルッ
コクッ

一旦
止めよう！
カンリム〜、
どこ行くの？
今忙しい
んだ。
クルッ

忙しいの？
どうして？
サザッ
ピタッ

真顔
どうしてだと？どうせ失格なのになぜ忙しいのかってことか？
オドオド

そうじゃなくて、あなたが1人だから気になって……。
どうして僕に関心があるんだ？　もうすぐ失格する立場だから、優しい言葉でもかけてあげようってこと？

ガオー
スゴく気難しい!!
私が気難しさで負けるなんて……。
ムシャ
ムシャ

オ～イ、セナ、リズ！
ドン
たくさん買ったんだけど、一緒に食べない？
ムシャ
ムシャ

ウジュじゃないか？
危ない……。逃げよう。
守れなくてゴメン。
カンリムもいるのか。
ムシャ
ムシャ

スゴいおやつだな。パーティーでも開くのか？

お前も食べるか？
ムシャ
ムシャ

何寝ぼけたこと言ってんだ！ 僕らが失格になればお前らも無事じゃ済まないハズ。
オイ、僕がそんなに卑劣な男だと思ってんの？ 相手チームが失格になって僕らが勝ち上がるのはめでたいことじゃないよ。
僕らの心配はいらないよ。何も落ち度はないんだから当然無事さ。
ムシャ
ムシャ

パッ
あれ？ウジュとカンリムだ！
……。
カンリムが怒った！　このままじゃ大変なことになる!!
ハッ……

ガルルル
コノー！

2人とも、元気？スゴく心配だよね？でも、事故になったのはどちらかが悪いというワケじゃないから……。
ピョコン
ハル、この空気が読めないの？すぐに逃げて！

イヤ、責任はあるさ。

そもそもの原因を作った側の責任が明らかに大きい。お前があの時、持ち場を離れさえしなければ材料が混ざることはなかっただろう？
反省して謝りな!
よく言えるな！僕が助けなかったらお前はこの場所にいなかったんだぞ！
感謝してプレゼントを持って来な!
あ、そうだ、2人とも！両チームとも実験は最高だったよ。対決の結果にもきっと反映されるハズ。
あ……何かおかしいわ。

今のお前の言動こそが大会の質を落としてるんだぞ！ 人間性だけなら僕らが優勝候補さ！
僕らの実験が最高なのは僕らの実力が最高だからさ！ 優勝候補の僕らのチームを失格にしたら大会の質が落ちるだろうね！
パラパラ
僕のお菓子！
パクッ
パクッ
話せば話すほど巻き込まれる感じ！
あ、そうじゃないのに！

＊「とばっちりを受ける」という、韓国のことわざ。

クジラは大きくてカッコいい海の王者だから、ウジュとカンリムは別の生き物のほうが似合うね。
え……！
ピクッ
ハッキリ言うけど、失格になれば俺は黙ってないぞ。
足を引っ張る気？道連れにするって!?
そうだ。俺は対決会場から絶対離れない！
多くの海洋生物は生存のために、それぞれいろいろな能力を持っているけど、あの2人に合う生き物をあえて探すなら……。
ハコクラゲ
体がほぼ透明で目につきにくく、毒性が強い触手を持つ。
シビレエイ
電気を起こして敵を感電させる。
リーフィーシードラゴン
木の葉のような形を利用して海藻に擬態する。
タコ
敵にスミを吐いて逃げる。
チョウチョウウオ
体は円形で平たく、口は小さく突き出している。
アホウドリ
ウミガメ
じゃ、俺は甲らで身を守り、海中でも素早く移動できるウミガメ？
僕は長い翼で海の上を行き交う海鳥のアホウドリ？

カンリムは
ひどい毒性のあるナマコ。
クネ
クネ
ウジュは
最も原始的な
多細胞動物の海綿かな？
ブル
ブル

ガーン
何!?
プーッ

今何て言った？
僕がナマコ
だと !?

ウジュ、お前のような実力のない
ヤツのせいで、失格の危機に直面してる
自分が情けない。
何だと？
クルッ
ムカッ
今の話、
聞いて
なかった
のかよ！

ナマコは俺だ！お前は海綿だろ！
違うよ。ハッキリ僕の目を見てナマコって言ったんだ!?
そうだろ？

それのどこが大事なの？
ナマコも海綿もどっちもどっちでしょ。
心配した私があきれるわ。

ナマコと海綿じゃ天と地の差だぞ！
ブッ
それが実験クラブの発言かよ？
そうね、あんたら2人は偉いわね。これでいい!?
熱いわね。
ケラ
ケラ
ブッ
ナマコは食べて、排泄して、卵も産む生き物だけど、海綿は基本的な感覚器官や内臓器官がない生き物なんだぞ！
ナマコは美味しくて健康にもいいぞ。でも海綿は、食べられないし、水分をよく吸収するからって、スポンジとしてお風呂で使われるくらいしか利用価値がないんだぞ！
やはり僕の目は正確だ。
フッ……

海洋生物の活用

浅瀬から深海まで、海洋のいたる所に存在している海洋生物は、海鮮鍋やノリ、ワカメスープのように、栄養たっぷりでおいしく食べることができます。そして、最近になって、海洋生物が持つ独特な遺伝子や性質などが研究されたことで、海洋生物を利用した治療薬や医薬品、バイオ素材の開発が活発に行われています。

魚介類のDHA

不飽和脂肪酸の一種であるDHAは脳の活動を助けるだけでなく、血中コレステロールの数値を下げ、認知症やガンを予防する効果があります。しかし、DHAは私たちの体内では合成できないので、食品を通じて摂らなければなりません。DHAは豚肉にも含まれていますが、それ以上に、マグロやサバ、サンマ、イワシなど、背中が青い青魚に多く、特に魚の頭の部分や目の後ろの脂身に豊富に含まれています。これは魚介類がDHAを合成するプランクトンを食べるからです。

イガイの医療用接着剤

イガイは磯にくっ付くために、ネバネバして細い糸状のタンパク質を分泌します。このタンパク質には強い接着力と耐水性があり、その性質を利用して医療用接着剤が開発されました。この接着剤は人体に無害なイガイのタンパク質でできているので、皮膚の傷はもちろん、目や筋肉、神経などにも使用できるという特徴があります。

磯にくっ付いたイガイ

ホヤを使った治療薬の開発

ホヤは、岩場に生息する、海岸脊索動物の仲間です。世界中にいる、約2000種類のうち、数種類が食用とされています。

近年、ホヤから抽出した成分を使って、アルツハイマー型認知症予防や抗がん剤など、新しい治療薬の研究・開発が進められています。

おいしいだけじゃなくて治療薬にもなるのね。

©enrouteksm

イソギンチャクのシルク繊維

イソギンチャクはソッと触れると、体中に海水を流入させて体を膨らませたり縮めたりします。このような特性がシルクと似ているということに着目し、イソギンチャクの遺伝子配列を解析し、イソギンチャクの特徴を持ったシルク繊維が開発されました。イソギンチャクのシルク繊維は手術用縫合糸など、さまざまな用途に活用される見通しです。

©Sergieiev ©聯合ニュース

海の中のイソギンチャクとシルク繊維

甲殻類のキトサン

キトサンは主にカニやザリガニ、エビなどの甲殻類の殻に含まれる「キチン」を人体に吸収しやすいよう加工した物質で、老化を防止し、免疫力を高めます。キトサンは1970年ごろから排水処理剤や化粧品の原料として利用され始めました。これまでキトサンの応用研究が幅広く行われ、人工透析膜、血液の凝固を防ぐ薬剤などの医療分野はもちろん、紙質の改良や害虫駆除など、工業や農業分野でも利用が検討されています。

味もいいし能力もあるんだね。
©Eric Isselee

第3話

このまま失格になるのは
嫌だけど、どうすれば
いいんだ？
シクシク
湖のほとりに
願いを叶えて
くれる木があるん
だって！
本当？
行ってお小遣い
上げてって
お願いしな
きゃ〜。

消えたウジュ

菓子

図書館
あれ？　あの子、今日の事故が起きた対決の出場チームのメンバーじゃない？
うん。韓国Bチームだね。どうしてココに？
キョロ
キョロ
誰かを探してるみたいだけど。

キーッ
ココにはいないみたい……。

食堂

モグ
ウジュがココに来てないのは間違いないってことだね？ でも、君たちはウジュの顔、知ってるの？
知らないハズないだろ。いつも最初に来て最後までいるヤツなのに。
実際よりハンサムじゃない？
こんな顔だけど。
今日は姿が見えないからおかしいと思ってたんだ。対決のせいかな？

これは深刻だぞ。ウジュがご飯を食べに来てないなんて。
モグ
モグ

体育館
こっち！
イヤ、ココには来てないよ、
やっぱりショックだったのか……。
もし会ったら知らせるよ。
ガヤ
ガヤ
実験練習室
見たら分かるだろ？
実験練習室が静か
だってことは、
ウジュがいない
証拠さ。
シーーン

体育館にも、
実験練習室にも
いない。
トボ
トボ

セナ。
ビクッ
あら、ウォンソ！
もしかしてウジュ見なかった？
あ～、ナマコ？　イヤ、海綿だったっけ？

ザワ
ザワ
まったく。あいつらの心配なんかするんじゃなかった！

少し前にそっちの方に行ったけど……。会わなかった？
クルッ
え？　いつ会ったの？

ハア、それがね。さっきウジュと
カンリムが売店の前で大騒ぎしたのよ。
2人とも失格になるならないで
スゴく言い合って……。
……。

アッ、シマッタ！
失格の話を
しちゃった！
ウッ

ウォンソは平気？
結果発表が延びて心配だわ。
こうなると、あなたたちも不利に
なりそうな……。
クルッ
あの。

ウジュは
どうだった？
変じゃ
なかった？

え？　ウジュは
もともと変でしょ。
ピタッ

正確にはどっちの方に
向かった？

ウォンソ……！
あなた今……。
アア……、
ウジュはこっち、
カンリムはあっちへ……。
タタタ
ウォンソ！
見つかった？
イヤ、
図書館にも
食堂にもいない。
ウジュはついさっきまでココにいたよ。
おやつをたっぷり買って食べてたわ。
まるでフードファイターのように。
何！?
ウウゥ……
あのけちん坊が自分の
お金でお菓子を
たっぷり買うなんて！
心配過ぎる！
ハァ
ハハ。

こっちに行ったらしいから
行ってみよう。
早く見つけなきゃ
いけないのに。
……。

みんなウジュを探し回ってるの？何かあったの？
実は対決後のウジュの様子が普段と違ってて心配してるの。

それでウォンソも気にしてるのね？
実はウォンソも少し心配なの。
ハハ

心配しないで。ウォンソは思ったより強いから。大事な人は最後まで守る、そんな子だよ。
あ、うん……。
ウォンソのあの表情、見たことある。
大事な人……？
それがウジュっていうのが信じられないけどさ。
フン
なんで私がウジュに嫉妬しなきゃいけないの！

そうか！
ウジュもウォンソに
とって大事な人に
なったのね……。
一緒に行こう～。

これは！
あ！

ガサッ

バッ
あれ？

ドン
みんな、ウジュが
どっちに行ったか
分かりそう！
ガサッ

パッ
ナトリウム
録画映像で見た通り、韓国Bチームはナトリウムの準備中にその場を離れ、
その直後、ゴム粘土を運んでいた中国Aチームのアクシデントで両チームの材料が床に落ち、
コッ
この時ナトリウムとゴム粘土が混ざったのです。
その結果、中国Aチームの実験でナトリウムが水に触れて爆発事故が起きました。

……。

パッ
このような場合。
フウ……
改めて見ても
目がくらみます。
パチン

対決ルールに従って実験事故を起こした中国Aチームは失格、実験材料の管理を怠った韓国Bチームは減点で判定するのが正しいでしょう。
はい、それがルールですからね。
コクッ

問題は……。

1回目の対決結果で韓国Bチームの点数が中国Aチームの点数より著しく低いことです。
韓国Bチーム
中国Aチーム
70
77

はい。負ける可能性が高かった韓国Bチームが事故の原因を作り、その事故によって得するなら国際実験オリンピックの基本精神を損なうと思います。

ですから韓国Bチームも失格にしなければいけないという話ですね？

それも理解できます。今日のわれわれの判定が、残りの対決に大きな影響を及ぼすハズですから。
コクッ

ドキ
ドキ

では、もう決定を下さなくてはなりません。

会議室F
審査委員が入ったというのがこの会議室ですよね？もう３時間も経ちましたが、何の気配もしないし……。
もう３回も同じ質問ですよ。ココで静かに待てないのなら、明日まで結果をお待ちになればいいのでは。

そうなりますよね。中国も優勝候補のチームだったのに、こんなことが起きたのですから。

あ、すみません。つい焦ってしまって……。
フムフム……

実験の事故で韓国Bチームまで被害を受けたことも残念です。

……。
……。
ソワ
ソワ

チームは違っても、指導教員なら同じ気持ちですよね。このまま失格となれば……。

ええ、子供たちがいちばん心配です。やはりショックが大きいハズですから……。

F
カチャッ

会議室F
あれ、先生方はどうしてココへ？

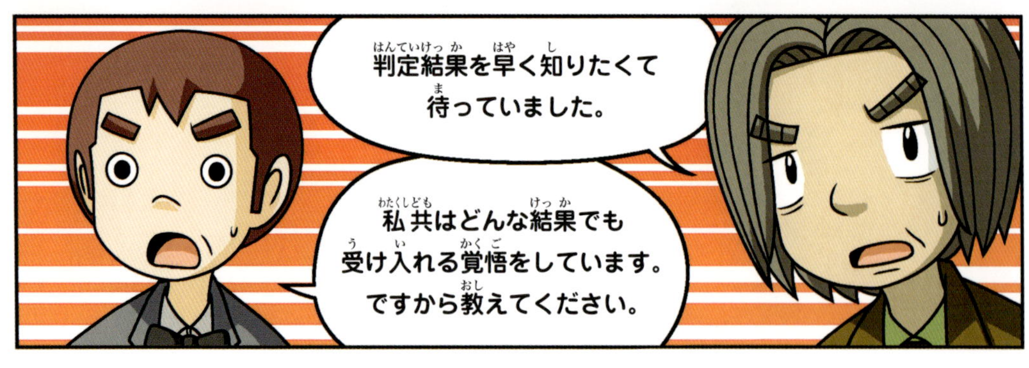
判定結果を早く知りたくて待っていました。
私共はどんな結果でも受け入れる覚悟をしています。ですから教えてください。

われわれは規定上、対決中の参加チームとはいかなる接触もできません。結果は明日正式に発表します。
先生方、申し訳ございません。
も、申し訳ない？

……!!
トボ
トボ

対決中ですって？ということは……。

アア……！

キーッ

ヒョイッ

あれ？友達のお見舞いかな？
ええ、ハハ……。

どうしよう？薬を飲んで寝たところだけど。
ハア、何の薬ですか？具合が良くないの？

風邪の気があって、微熱があるんだ。
そんな！熱もあるの？
ウウッ

ネエ、寝てる？
僕、ウジュだよ。
お菓子を買ってきたから食べて。

ところで、君のチームはどうして誰もいないの？ カンリムや他の子たちは？
キョロ
キョロ

カチン
まさかカンリムが事故のことでアレコレ言った？ 君のせいだとか言ったんじゃないだろうね？ そうだったら、ただじゃおかないから！
……。

だってそうだろ！ ナトリウムとゴム粘土はそっくりなんだ！ 誰でも見間違えるさ。事故が起きたのは君のせいじゃないよ!!
ギュッ

僕の話聞こえてる？
熟睡してるのかな？ なぜ返事がないんだろう……？
……。

ひょっとして、君もカンリムみたいに事故は僕のせいだと思ってる？
そりゃ、君がケガしたことに対しては申し訳なく思ってるよ。
ボリ
ボリ
……。
ビクッ

いつまで返事しないつもり？ 寝てないのは知ってる！ 起きて返事して、お菓子も食べなよ！
保健室1

ココだわ。

ココにもウジュが落としたお菓子がある！

ウジュのヤツ、どうしてお菓子をこんなに落としてるんだ？ ヘンゼルとグレーテルじゃあるまいし。
ドッサリ
!!
でも、お菓子の流れがこの付近で途切れてるわ。

保健室3
ココは……。
保健室？

ケガをした中国Aチームの子がいる場所だね。
ああ、私は思い付きもしなかったわ。

お見舞いのためにおやつを買ったんだね。
さすがウジュらしいわ。ケガした子のことを考えていたのね。
ウジュのヤツ……。

ガチャン
保健室3
どなたですか？
あれ？ウジュの声じゃない？

ピタッ
ピタッ

韓国Bチームがココに何の用……。

突然訪ねて来てごめん。ケガしたメンバーは大丈夫？
うん。少し休みたいと言うから後でまた来ようと。

じゃ、ウジュは？もう帰った？
ウジュ？

君らのチームのウジュのこと？ココには来てないけど。
僕らはずっといたけど会わなかったよ。
え？ 間違いない？

おかしいなあ。お菓子の流れが明らかにココに向かってるのに……。
ウジュならココに来ていると思ったのに。
このお菓子がどんだけおいしいか知ってる？ 僕の誠意を受け取って一口食べてよ！
見て、いないだろ？
保健室3
保健室2
保健室1
フウ、じゃあ、いったいどこに消えたんだ？
どこで何をしてるのかな。
……？
どんどん心配になってきた……。
アア、ひどいケガをしたんだね！ 違う？ 僕の目がおかしい？
ハッ！ 顔がスゴく変わった？
うるさくて寝られないわね！
ムカッ
ビクッ
あんた誰なの？ 何度も起こそうとして！

オーギュスト・ピカール（Auguste Piccard）

©getty

ピカール（1884～1962）
潜水艇を発明し深海探査の基盤を作った。

　スイス生まれの物理学者、オーギュスト・ピカールは、潜水艇を作って深海を探検した発明家であり探検家です。ベルギーのブリュッセル大学の物理学教授に就任したピカールは、物理学者や化学者が集まり物理学や化学の重要な問題を話し合って研究するソルベー会議に出席します。ピカールはここでアルベルト・アインシュタインと出会い、彼の仮説である宇宙線（宇宙から地球に注がれる放射線）を観測したいと考えます。そのため、自分が以前から行ってきた気球開発に一層拍車をかけました。その結果、1931年、ピカールは自分で作った水素気球「FNRS-１号」に乗って、人類で初めて約16,000mの高度に到達し、成層圏内の気象や宇宙線の観測を行いました。空に向かっていた彼の研究目標は、やがて深海に移っていきます。1937年、ピカールは気球に使われた原理を応用して、潜水艇「バチスカーフ」を設計しましたが、第２次世界大戦によって建造には至りませんでした。しかし、ピカールはあきらめませんでした。1948年、ベルギー科学芸術財団FNRSの援助によって潜水艇「バチスカーフFNRS-２号」、続いて「FNRS- ３号」を製作しました。1960年に息子のジャック・ピカールは父の製作した「トリエステ号」に乗り、人類で初めて水深約10,000mまで潜水するのに成功しました。これによって、高い水圧のせいで深海には生命体が生きていないというそれまでの推測とは異なり、深海にも生命体が生きているということが分かりました。さらに海底と海面の間の海流を確認するなど、海洋科学の基盤を築くことができました。

バチスカーフ・
トリエステ号の
潜水記録はまだ破られて
ないんだ。

©getty

海から引き上げられるバチスカーフ・トリエステ号の様子

博士の実験室 1

排他的経済水域

＊1 領海　領土に隣接した海域で、その国の統治権が及ぶ範囲　＊2 海里　距離の単位で1海里は約1,852mに当たる。

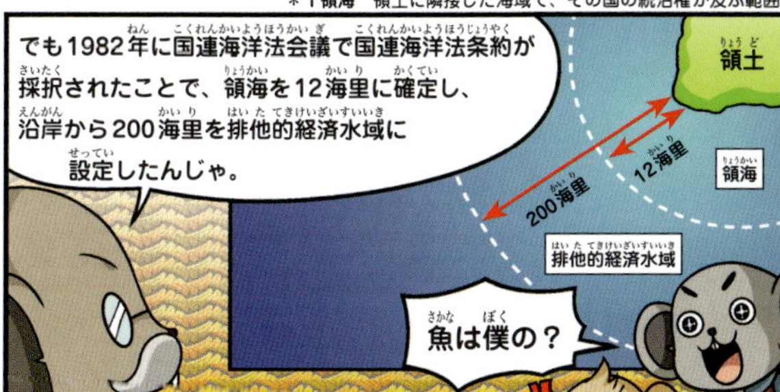

第4話

海の宝物より大事なもの

トボ
トボ

ハァ……
友達のせいでずっと眠れなかったからそのまま置いていきなさい。
アア……
じゃ、このお菓子、代わりに渡してください。
今日は完全に徒労に終わったな。保健室を間違えて関係のない子のお見舞いをしちゃったし、待ちに待った本選の対決はメチャクチャだったし……。
トボ
トボ

クルッ

でも明日は
違うハズ。
今日はメチャクチャ
だったけど、
明日はまた……！
ギュッ

ウワッ、
ヤバい!!
ヤバいハズ！
あれ？

クルッ
どうやっても
無理だ！
何だ!?

誰だ？ 僕の
前向きな決意を
邪魔するヤツは？
ムカッ

ヤバいん
だって！
チェッ……
アレ、
この声は？

ダメ!!
ウワァー
ザブン
ザブン
あれ?

ウジュ?溺れる者はワラをも掴むって言うけど、よくぞ来た。ココに来てこれを掴んでくれ!
フン、ワラだと!
クルッ
ごめん!取り消す、取り消す!!

オイ、カンリム!そこで何してるんだ?もうすぐ暗くなるのに。

僕がどうしてそこに行くんだ? 服が濡れるだろ?
とにかく来てよ。
ハハハ
ククク
水は深くないから、お前が歩いて来ればいいだろ。
フン

オイ、
ウジュ!!
アア、もう!
どうしろと!!

ダメだってば!
これを離すと実験が
ヤバいんだよ!
あ〜、
そうなの?
クルッ
じゃ、がんばって
続ければ!

よし! 初めからそう言えば
いいのに。何を手伝えば
いいのかな?
エッヘン
カチン……
まずは
こっちに来て……。

何が必要だって?
よく聞こえないぞ〜!

この筒を離すと中にある
泥が全部抜け出ちゃうか、
混ざっちゃうんだ。これを
無事に抜き出すにはお前の
助けが必要なんだよ。
ブツ
ブツ

手伝って!!
お願い!!
屈
辱

自分はイカダに乗ってるくせに僕には歩いて来いって？　ズボンが濡れて気持ち悪い。このままパンツまで濡れるんじゃない？
クド
ブツ
ブツ
クド
早く来てよ。

ジャボン
ジャボン
ウ～、冷たい。

これを抜くって？
じゃ、こうやって揺らせばうまく抜けるんじゃない。
気を付けろよ！泥が抜け出るじゃないか！

これはただの泥じゃなくて、この湖のコア試料なんだぞ。
コア試料？泥を難しく言った言葉？
ムニャ

まったく。抜け出たらまた入れたらいいじゃないか。湖の底は泥だらけだろ。

ボーリング調査は
知ってるだろ？
土壌に円筒を突っ込んで
その中の物質や生物を
そのまま抜き出す調査だ。
簡単な地層実験も
あるだろ。いろいろな色の
ゴム粘土を重ねて
地層を作った後、
容器に入れて、
スーッ
円筒をゴム粘土の上に
そのまま挿して入れた後、
大事に抜き出すんだ。
その円筒の中に入ってる
のがコア試料さ。
オオ～、不思議だね。
じゃ、土を直接掘らなくても
地層の構造や成分が分かるね。
コクッ

コア試料という用語も知らなかった
割には呑み込みが早いな。
物覚えがいいのか？
フ～ン……
これが
この湖のコア試料って
ことだろ？
その通り。

コア試料は陸の土でも有用だけど、近づきにくい海でもスゴく役に立つんだ。海のとてつもなく豊富な資源の確認ができるんだ。
アア〜、海洋資源？
そう。お前も知ってるだろ？

もちろん知ってるさ！おいしい海産物のことだろ！！
遊泳生物：水中を自由に泳ぎ回る生物
サバ
サバの煮付け
マグロ
ツナ缶
イカ
イカの和え物
タラ
タラ鍋
底生生物：水中の底に生息する生物
ワカメ
ワカメスープ
貝
貝のスープ
浮遊生物：水中を漂う生物
クラゲ
クラゲの冷菜
お前は実験クラブじゃなくて料理クラブなのか？
お前が言ったのも海洋資源だけど、一部に過ぎないんだ。
一部？

そう。
海洋生物が医薬品やバイオ素材の
開発に役立つのはもちろん、
じゃ、もっと
スゴい資源がある
って意味？
ソーッ
サンゴ
ヒトデ
海綿
抗生物質、
がん治療薬、
アルツハイマー治療薬、
関節炎治療薬など
海洋性超好熱菌
バイオ水素生産
オオ
ザァ
海洋エネルギーを使って
発電もできるんだ。
それに、
地球表面の約70％を
占める広い海は空間資源として
利用できるんだ。
潮力発電：満潮と干潮の落差を利用して電気を生成
波力発電：波の上下運動を利用して電気を生成
海流発電：海の流れを利用して電気を生成
海洋温度差発電：海水の深さによる温度差を利用して電気を生成
海上輸送
マリンスポーツ
海中都市

その中で俺が今調べてるのが鉱物資源さ！
ピカッ
鉱物と言えば!?

金や銀、ダイヤモンドなんかのこと!?
バン

まさにそれさ！
例えば、深海で見つかったマンガン団塊は、海の黒い黄金とも言われてるんだ。
マンガン、鉄、ニッケル、コバルト、銅といった資源として有用性の高い物質が含まれた鉱物の塊なんだ。
マンガン団塊

つまり、コア試料を通じて、マンガン団塊がある場所を探すというのは、金脈を探すのと同じなんだ。
オオオ

それなら、ココにも？
フフ

へ〜
宝物は地中にあるものだけじゃないのか。海にももっとスゴい宝物があったんだね！

この中には
もっと大事なものが
入ってるんだ。
スッ
ジュルッ

もっと大事なものと
言えば……黄金？
砂金も川辺や川底の砂に
混ざってるんだって？
つまり、この湖の泥を
調べれば対決の優勝賞金
よりたくさんの金を
見つけることができる
かも!?
へへ

それはどうかな？　実際、干潟には
土から流れてきた白金が混ざってる
らしいからありえなくはないけど。
オオ、
イェ～！
ピ
カッ

干潟から白金を分離するのに
お金がもっとかかるのが
問題だけど。
ピョン
干潟
分離費用
100ウォン
(10円)
白金10ウォン（1円）
パン
パン
僕の金～！

じゃ、
カンリムは
どうしてココの
泥を掘るんだ？
ジャバ
ジャバ

コトン
言っただろ。

この中にはもっと大事なものが入ってるんだってば。

だからそれは何なんだよ？ダイヤモンドでもあるのか？
あれ？カバンに同じものがもう１つあるぞ。

XX
何だろう？今掘り出したコア試料よりちょっと古いものみたいだけど。
？

もしかして今日の日付を書いてるの？
アッ……
うん。

スッ スッ
20XX.
何か数字を書いてる……。

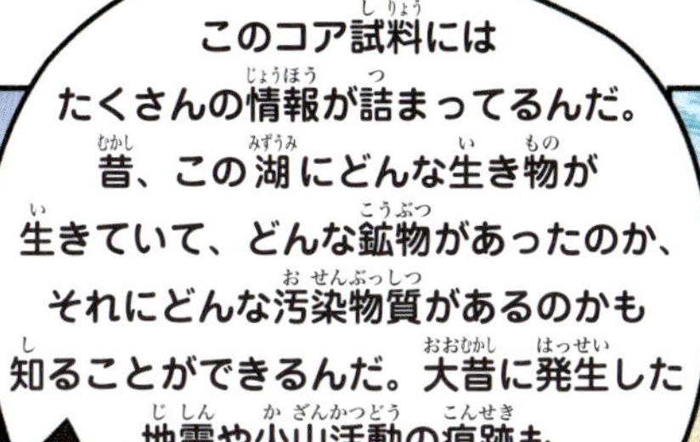

全部コア試料で知ることができるってこと？

考えてみなよ。この試料の中の土は毎日陸から流れてきて湖底に少しずつ積み上がったものなんだ。

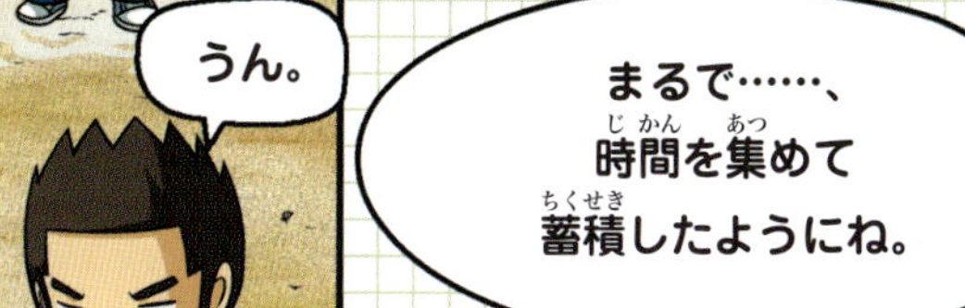

うん。

まるで……、時間を集めて蓄積したようにね。

そう……。このコア試料には俺たちの時間が詰まっているんだ。

20

ザッ

な、何を
言ってるんだ……？
ウチのチームみんなで
約束したんだ。対決会場に着いた日と帰る日、
湖のコア試料を採取して記念の実験をしようって。
１人がケガをしてみんなそれどころじゃないから
俺が採取しに来たんだ。

帰る日？
帰る日だって？
ウジュ。
なあ……。

対決でお前に会ったことは
不運だった。何も考えずに
問題ばかり起こすくせに、
お前は不思議にも運がいいし、
みんなもお前を応援した。
理解できなかったし、
気分も悪かった。
20x

そして、もっと気分が
悪いのは……。

来年、お前と再会して対決できたら嬉しいだろうなってこと。
ウッ……
来年、必ずまた会おう。

優勝して帰る日までガマンしよう。対決の時間が少しずつ積み上がるハズ。
さあ、ココに到着した今日のコア試料だよ。もう1つは僕たちが優勝した日のコア試料になるだろうね？
すぐに実験してみたい。
うまく抜き取れた！いいね！
そう。この中には俺らの時間が積み上がってる。それで十分さ。
ウ……。

ウォォウォウゥ
何だよ、カンリム！絶対に帰らないって言ってたのに、心の準備をしてたのか！

タタッ
ウジュ？どうしてココに……。
どうしてズボンが濡れてる？

ウウウ……。
タタッ
あ!!

ズルズル
ウウォン、ウウッ、ウウウッ、ウォ、ウォンソオ。

何だ？ あのひどい顔は！
ウォンソ、一緒に行こう！
湖はさっき見に来たのに。
ピタッ

ウジュはココだ。
ススッ
本当!?

ウジュ！今までどこにいたんだ？
私たち、どれだけ心配したと思ってるの！
ハハ、僕を心配したって？なぜ？
グスン
サッパリ

どうして服が濡れてるんだい？まさかオシッコを漏らしたとか？　これだから心配なんだ！
湖に入ったから……。
湖に!?どうして？
まずは宿舎に戻ろう。

ウォンソが湖の方に行ってみようって言わなければ見つからなかったよ。
ウォンソががんばったんだよ。ご飯も食べずにウジュを探してたんだから。

シマッタ。

ウォンソ、この本持って行きな。
ガチャッ

今日中に図書館に返却しなきゃいけないんだろ。

ウジュ……。
やっと現実を認めたのか？
……。

たくさん濡れた？
大丈夫。これくらいすぐ乾くよ。
パン
パン

お前じゃなくてその本。濡れたまま返却すると弁償しなくちゃいけない。
チェッ
シワシワ

ちょうど実験用のライトがあるからこれで乾かそう。表紙が少し濡れただけだ。
パッ
あいつが僕の心配をしてたって？
本の方が大事みたい。
そうだけど……。

もう気持ちの整理はついたみたいだね？

じゃないのか？
ドボ
ドボ

そりゃ、僕がずっと意地を張っても何も変わらないだろ。
ドカッ

あ……。

分かってるなら良かった。
タプ
タプ
ミネラルウォーター？ちょうど喉が渇いてたんだ。
サッ

スーッ

トボトボ
喉が渇いたなら
自分で水を取りに行きな。
ゲーーッ

水を注いだからって
手首を痛めるワケじゃ
ないだろ！
……。
ウジュ、
ガマン！
水なら
たくさん
あるわ。
コラッ

これは……。
海水なんだ。
サッ

え？
海水だって？
ミネラルウォーターを入れたのを
ハッキリ見たんだけど。

サッ
スッ
広くて深い海。
それにこれは熱い太陽。
海と……
太陽……？
キー
キー
ドドーン

コア試料の採取法を再現する

実験報告書

実験テーマ	粘土と透明な管を用いてコア試料の採取法を再現し、地層研究に活用されるコア試料について理解します。
準備する物	❶木の板２枚　❷色粘土　❸紙粘土　❹油粘土　❺透明な管 
実験予想	粘土を積んだ順番通り、透明な管の中にいろいろな色の粘土層が現れるだろう。
注意事項	❶ 粘土は乾燥すると固まりやすくなります。採取がスムーズにできるよう、乾燥に注意しましょう。 ❷ 粘土層が詰まらないように、透明な管を早く入れ過ぎたり抜いたりしないようにしましょう。

実験方法

❶ 色粘土や紙粘土を使って、いろいろな色の粘土の塊を作ります。
❷ ❶の粘土や油粘土の塊を約１～２cmの厚さに平べったく作り、木の板の上に重ねて、いくつかの層を作ります。
❸ もう一方の木の板で粘土層を適度な力で押してあげます。
❹ 透明な管を垂直に立て、粘土層にゆっくり挿します。
❺ 透明な管を粘土層からゆっくり抜き出し、透明な管の中の粘土層を観察します。

実験結果

木の板の上に作った粘土層と同一の粘土層が透明な管の中に採取されました。

どうしてそうなるの？

コア試料は、強い金属でできた細長い円筒形の道具を利用して、地中深くまで穴を開け採取した物質のことを言います。一般的に、採取したコア試料の半分を永久保存し、もう半分を研究に利用します。コア試料は主に目に見えない深い地中の地層観察や、地下資源の探査に利用されますが、特に人が入ることのできない深海を研究するのに、とても重要な役割を果たします。海から得たコア試料は、海底の地質学的現象や地層の歴史を明らかにし、生態系の変化を把握し、海洋環境を分析する大事な研究資料になります。

第5話

1度だけチャンスをくれたらミスしないでがんばります。
ウチのチームが失格にならないようにしてください。
ザザッ
ザザッ
韓国Bチームが失格にならないようにしてください。
ザザッ
ザザッ
ザザッ
アレ？

1つの海、1つのチーム

ギラッ
キー
キー

当たり前だろ。こんなに深いから……。温度は違うさ。

海水は深さによって温度が違うんだ。
ポン

観察の結果も水槽の深さが深いほど温度が少しずつ下がってる。
太陽熱をたっぷり受けた表面は熱エネルギーを吸収するから温かくて、下に行くほど太陽熱が届かないから冷たいのよ。
スラ
スラ

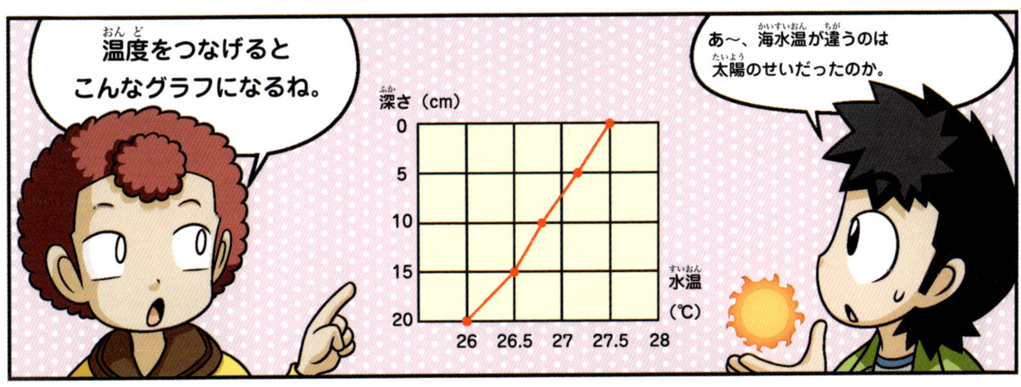
あ～、海水温が違うのは太陽のせいだったのか。
温度をつなげるとこんなグラフになるね。
深さ（cm）
0
5
10
15
20
26
26.5
27
27.5
28
水温
（℃）

あ……。
え？
太陽のせいだけじゃない。
ビュー

風……？
ビュー

ウィーン

あ～、涼しい。
やっぱり海の風は最高ね。
みんなウカれ過ぎじゃない？
ビュン

あ！温度が……。

いちばん浅い温度計の温度が変わった！
風が吹いて温度が下がったみたい。

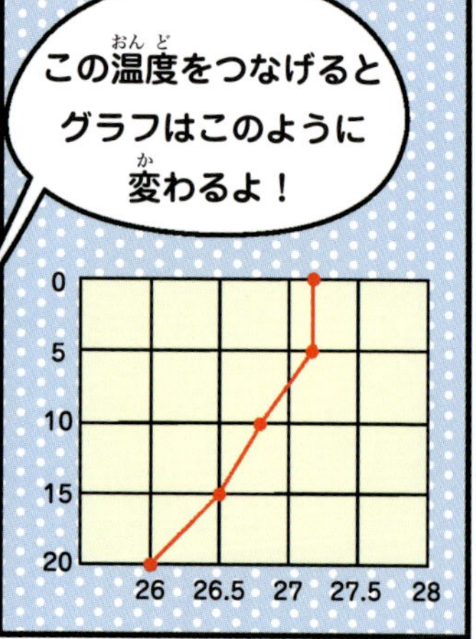
この温度をつなげるとグラフはこのように変わるよ！
0
5
10
15
20
26
26.5
27
27.5
28

もともとグラフは
水が深いほど温度が下がる
一定の形だったけど、
風が加えられたから
表面温度に変化が起きたんだ。
0
5
10
15
20
26 26.5 27 27.5 28
0
5
10
15
20
26 26.5 27 27.5 28
あ！ 上の部分は風によって一定温度になる表層混合層、中間部分は水温が急激に変化する水温躍層、下の部分は太陽熱や風の影響を受けないので常に冷たい温度を保つ深層ね！
本当に3つの層だね。
表層混合層
水温躍層
深層
ワァ
海洋の海水層とまったく同じよ。
その通り。
コクッ

表層混合層は海洋の約２％を占めるんだ。正確な深さは緯度によって差があるけど、表層混合層には酸素やエサが豊富でさまざまな海洋生物が生息しているんだ。
表層混合層
赤道：深さ約150ｍ
中緯度：深さ約1,000ｍ
極地方：表層混合層、水温躍層、深層の区分がほとんどない。
水温躍層
表層混合層の海洋汚染物質が深層に落ちるのを防ぎ、深層の冷たい水が表層混合層に上がるのを防ぐ。
水温躍層は水温が急激に変わる層なんだ。表層混合層と深層の間の物質とのエネルギー交換を遮断して、生態系で重要な役割を担ってるんだ。
深層
１年中４℃以下の水温を保つ。1,000mを超えると太陽の光は一切届かない。
深層は海洋の約90％を占めるんだ。光がほとんど入らず、低い温度と高い圧力のせいでエサになる動物や植物が生息しにくいんだ。深層にいる生物は見た目が独特なことが多いんだ。
あ、僕も本で見たことがある！深海に生きる魚！

本当に独特な外見だったよ。その魚は
一生真っ暗で冷たい場所で暮らすってこと？
スゴい圧力に耐えながら？

そう。
それに、深海魚は光が入らない場所で生きているから目が退化していることが多いんだ。他の感覚に頼って海底に沈んだ生物の残骸を食べて生きてるんだ。

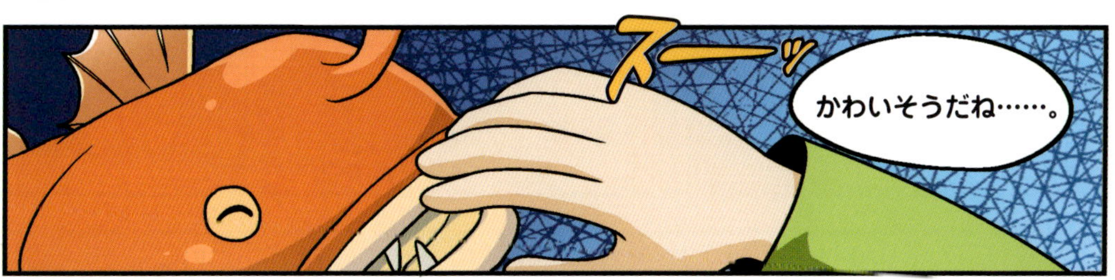
スーッ
かわいそうだね……。

一生真っ暗な場所で1匹で孤独に生きるなんて……。
僕だったら絶対耐えられない。
それに、こんなにブサイクだし。

本当に悲しいのは
暗くて寒いことじゃなく、
目の前に友達がいても見られないこと。
それで、いつも自分だけだと
思うんだ。

何？
パッ
パッ
パッ

目の前にいる
友達……？
パッ

僕もたまに忘れることがある。
深くて暗い深海に自分１人だけと考える
こともあるけど、それが錯覚だって
ことを今気付いた。
ガタッ

温かくて
明るい表層混合層も、
真ん中で
重要な役割を担う
水温躍層も、
冷たくて暗い
深層も、実は
全部１つの海
なんだ。
１つの海！
そして
僕らは１つの
チーム。
もし失格に
なっても、

平気だと思えるのは、
みんながそばにいるから。
ウォ、
ウォンソ……！
そうだよ！

うん！
今まで一緒だったから、この失敗も一緒に受け入れるわ。私も笑って帰ることができる。
スッ

ジマンも……？

これで終わるのは悔しいけど、僕も平気だよ。一緒に立ち直れるから。

ラニ……。
実はみんな
苦しかったんだ。
それなのに……
それなのに……。
なぜ僕だけ……！
ウッ……
ウ……

そんなふうに
考えてくれてありがとう。
さあ、もう片付け……。
ジャア
ウウウウウ……。
ウウウウッ……
ウウッ……。
みんな大人のように
受け入れてたんだ！
でも僕はそんな友達に
心配ばかりさせて……。
ウワ～ン
ウジュ、
泣かないで。
ウジュ、
どうした？
悔しいから？
1つも
悪くないわ。

ウウウッ　ウオオッ
ウウッ～！
どうして
自分だけこうなんだ！
情けない!!

保健室3
ガチャッ

良かった！
まだいた。
うん。もう
戻ろうかと。

アレ!?

一緒に行こう。
ガチャッ
うん……。

トボ
トボ
もう怒ってない？
え？

私、知ってるわ……。
カンリムがどれだけ優勝したがってたか。
だから、私のせいで失格になったら
どんなに腹が立つか……。
トボ
トボ
あ、それか
……。

お見舞いにも
来なかったから
寂しかっただろう？
スタッ
スタッ

ケガした君を見たら、
ウチのチームの失格を
認めなきゃいけない
ようで怖かったんだ。
ウン……
ウン……

怖かったって？
私ぐらい？
ピタッ

あれ？　カンリムと一緒だ。
迎えに来たのに。
でも雰囲気が
変じゃない？
私は失格なんて思いもしなかった。
目の前で実験装置が爆発して、
あなたたちがケガしてるんじゃないかって……。
私のせいでケガしてるんじゃないかって、
私はそれが怖かったの。
あ……。
爆発物の破片に当たってないか、
目に入ったりしてないか、
怖過ぎてあなたたちに大丈夫かって
聞くこともできなかったの。

みんな同じだったよ。
だろ？
もちろん怖いさ！
あの時は俺も何も
考えられなかった。
誰でもそうだった
ハズ。
何？　事故の
時の話？

そりゃあ、
しばらくしても正気に
戻らなかったほどさ。
でも、あの子たちは
どうして咄嗟にあんな行動が
取れたんだろう？
え？

韓国Bチームの
ことさ。
実験装置が爆発するのに
気付いた途端、僕らを助けに
駆けよって来ただろ。怖くて
逃げるんじゃなくて。
爆発する！
逃げて！
危ない！
伏せて！
あ……。
こっちに！
そう。あの時の
あいつら、躊躇しないで
僕らを助けたんだ。
そう言えば、
あいさつもちゃんと
できなかったわ。
お菓子も置いてって
くれたのに。
ガサッ
……。

今年の対決は
後悔が多いよ。
あ〜、今日が
最後の夜か。

いちばん後悔
するのは……。

いちばんたくさん準備した
肝心のアメリカチームとは
ろくに対決もできなかった。
フッ
そうだね。優勝だけを
考えてたから、ずっと作戦ばかり
練って、他のチームの
様子ばかり
気にして。

韓国Bチームの実力を
甘く見てたこと。
韓国Bチームは
最弱だよ。
本選の初っ端から
ラッキーね。
お前は俺の
相手じゃない！
やってみなきゃ
分かんないだろ。
コクッ

そうしていたら
実験対決はもっと
面白いものに
なったハズ。
そうだ。次の対決では
あいつらと真剣に
勝負しよう！
まあ、甘くは見てたけど
最初からなんとなく気には
なってたんだ。やっぱり
俺の勘に間違いなかったんだ！
本能的に相手の実力を
見抜いていたのさ。
韓国Bチームに
ついてもう少し
よく知っていたら。
プッ
エッヘン
そうだ。
次は必ず！

ウジュ、
いい加減にして！
静かに泣くとか！
ウホオオーーン
アウウ〜
ウウウ〜
止めて、
止めて！
ウウ〜
ところでさっきから
この声は何だ？
どこか聞き覚えの
ある声だけど。
犬の鳴き声じゃない？
誰が連れて来たんだ？

チュン
チュン
チュン
あれ？
ウジュ。
もう起きたの？
ダラ～リ
ハァー

まだなんだ……。
パンパン
パンパン
ムニャ……

まだって何が？
徹夜した割には
状態は悪くない
ね。
ウワッ！
どなた？

まだ結果発表が出てないって。
1時間前からずっと見てるけど……。
シュ～ン
トン
トン

ガチャッ
みんな!!
ウワッ、ビックリ！

アッ、ノックしてなかった。
ピタッ

コンコン
みんな、先生だよ。少し入ってもいいかな？
平静……

ど、どうぞ。
わざわざやり直さなくても。

バン
すぐに支度しなさい！
今すぐ！ホラ!!

どうしたんですか？

もしかして！?

結果が発表されたんですか？

ハァ
ハァ
イヤ！　今主催者側から連絡があったんだが。結果発表を30分後に……。

対決会場で行うって！
え？対決会場で？
ガバッ

対決会場で？

そうだ。みんな
実験用白衣を持って
急いで対決会場に
集合しなさいって。
ハァ
ハァ

なぜ実験用白衣？
俺たち失格じゃないの？
ガバッ
まだ何も発表されていないんだ。
でも、昨日の審査委員の話によると、
君たちはまだ対決中の
チームなんだ！
ドン
われわれは規定上、
対決中の参加チームとは
いかなる接触も
できません。
!!

早く行こう！
それなら……！
もしかしたら本当に！
ドキッ
タッ
タッ
タッ
タッ
みんな、
早く！
タタタッ
早く入ろう。
急げ！
イモムシでも
もっと速いよ。
スタタタッ
ピタッ

お願いだから
足を速く動かして！
こう！　こう！
ハァ
何だよ。
まだ10分もあるぞ。
ハァ
ハァ
バババババ

うん、
うん！
ウジュ、
ウォンソ、
早く！
実験用
白衣持って
来た？

早く僕に
乗って！
無視
ピタッ
あ！

早く来いよ。
あ？　みんなは
どうして入らないの？

スッ
ドアを開けるために待ってたんだ。さあ、入りな。
え？ 私たちを待ってた？

ちょっと！ 床に油が塗ってあるんじゃない？
ザザッ
カチン

ハハ、そんなんじゃないわ。昨日、助けてくれたことが嬉しくて……。
え？

そりゃ当然のことさ。
ハハハハ
僕らは正義の実験クラブだぞ！
フウ～

本当に最後の対決だね。
俺たち、後悔しないように
ケリをつけよう。
そう。
どんな結果が出たと
しても……。
コクッ
今日だけは
後悔のない日に
なるように！

深さによる水温測定実験

実験報告書	
実験テーマ	深さによる水温測定実験を通じて海水層について調べてみましょう。
準備する物	❶白熱電球　❷水槽　❸ミニ扇風機　❹物差し　❺温度計５つ　❻クリップ５つ 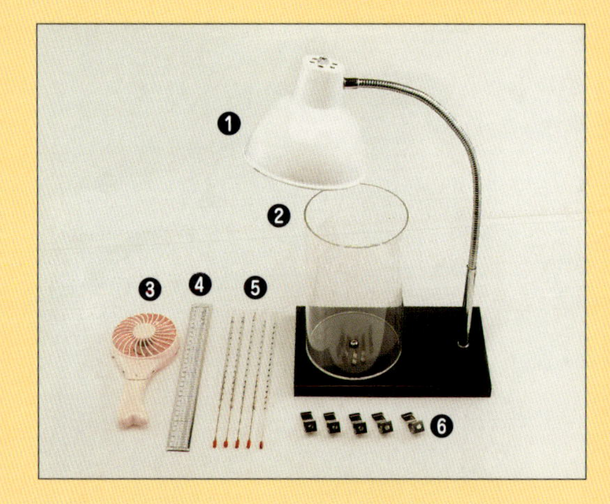
実験予想	❶ 深さによって水温が異なる結果になるでしょう。 ❷ 白熱電球の光とミニ扇風機の風が水温に影響を及ぼすでしょう。
注意事項	❶ 実験を始める時、各温度計の温度は同じでなければいけません。 ❷ 白熱電球を使用する際、電球に水が跳ねないよう注意しましょう。 ❸ ミニ扇風機を水槽に落とさないよう注意しましょう。

実験方法

❶ 水槽に水を３分の２ほど入れます。

❷ クリップを利用して水面から２cmずつ深くなるよう、水槽に温度計５つを挟み、各温度計の温度を記録します。

❸ 水の上から白熱電球を照らし、それ以上温度が変わらなくなるまで待ってから、各温度計の温度を記録します。

❹ ❸の白熱電球をそのまま照らした状態で、水の上からミニ扇風機を利用して約１分間、風を起こして、各温度計の温度を記録します。

実験結果

深さが違っても水温は一定でしたが、白熱電球を照らすと水面に近い層の水温が上がりました。そして、ミニ扇風機で風を起こすと、水面から近い層の水温が下がり、その下の水温と同じになりました。

温度計	温度（℃）		
	最初	ライト	ライト＋扇風機
深さ0cm	20.0	23.0	22.0
深さ2cm	20.0	22.1	22.0
深さ4cm	20.0	21.5	21.5
深さ6cm	20.0	20.8	20.8
深さ8cm	20.0	20.0	20.0

どうしてそうなるの？

白熱電球で照らした時、水面から近い層の水が温かくなったのは、白熱電球で発生した熱エネルギーのためです。上の方の水は熱エネルギーを多く受けて水温が上がり、下の方の水は熱エネルギーをあまり多く受けないため水温の変化がほとんどなかったのです。そして、ミニ扇風機で風を起こした時、水面から近い層の水温が一定になったのは、風によって上の方の水と下の方の水が混ざったからです。海水は深さによる水温分布を基準に、表層混合層と水温躍層、深層に分けられます。表層混合層は、太陽熱と風の影響を受け水温が一定に保たれる海の表面層で、風が強く吹くほど、厚く形成されます。水温躍層は、水温が急激に変化する層で、表層混合層とは異なり海水の上下運動がほとんど起きません。したがって、表層混合層と深層の間の物質とエネルギー伝達を遮断する役割を担います。深層は、太陽熱と風の影響を受けない層で、とても暗く水温の変化がほとんどない層です。このように海水は深さによる水温変化によって、それぞれ異なる環境が形成されています。

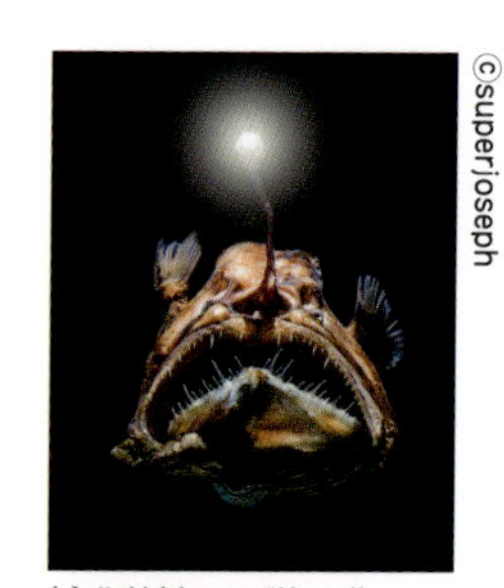

頭部先端から光を出して獲物を誘う深海魚

博士(はかせ)の実験室(じっけんしつ)2

海底都市(かいていとし)

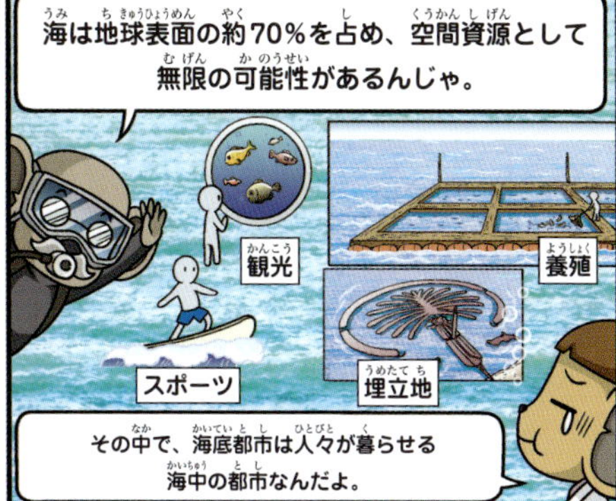

第6話

再び始まる対決！

チリン
チリン

アメリカチームの部屋
チリン

アラーム切れよ。まだ寝れるだろ。
スッ

これは対決の通知メッセージだぞ？

ガバッ
みんな携帯チェックしてみな。
ガチャッ
午前の対決まではまだ2時間もあるのに。どうしてもう鳴るの？
え？

ドイツチームの部屋
ディンド～ン

通知メッセージが来た？
え？

何、対決？間違って送って来たの？故障じゃない？
対決だって？

韓国Aチーム
アレ？対決するチームが……。
今日の午前はスイスチーム対タイチームじゃない？

確かにそうだと思っていたけど、その両チームだけじゃなくて……。

ドドーン
「お知らせ」
国際実験オリンピック　実験対決
場所：大講堂対決会場
時間：本日午前8時
対決チーム：韓国Bチーム、
中国Aチーム
韓国Bチームと
中国Aチームの
再対決だ！
ガバッ

ガヤ
韓国Bチームと中国Aチームの再対決だ！
ガヤ
確かなの？
韓国Bチームと中国Aチーム？
ガヤ
本当？
対決通知見た!?
もちろん！すぐ始まるぞ！
パッ
中継映像つけて！
対決会場まで行く時間がない。
トン
ワ～、この子たち、本当にラッキーだね!?
出て来るぞ！

ドドーン

これより韓国Bチーム対中国Aチームの対決結果を発表します。この結果は全員一致で決まりました。
ゴクッ
コクッ
ウウ……
国際実験オリンピックの基本精神に則った決定であることをあらかじめお伝えします。

まず、1回目の対決結果はそのまま認められます。
そして、対決中に発生した実験事故に対する責任として、両チームの実験態度を減点処理します。
ただし、事故の原因と責任、対処行動を考慮し、韓国Bチームは5点減点、中国Aチームは10点減点します。

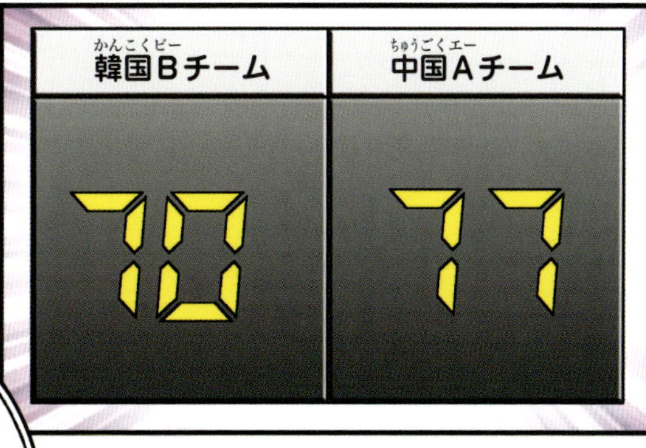
韓国Bチーム
中国Aチーム
70
77

韓国Bチーム
中国Aチーム
-5
-10

コクッ
コクッ

パッ
65
67
ドドーン
そして、両チームともこの結果に異議がなければ、
中断していた2回目の対決を今この場で再び始めます！

ワア！
再対決だ！！
キラッ
まさか！
チャンスが
もらえたぞ！
ウァアッ

もう悪夢から
目を覚ますんだ！
ギューッ
これって
夢じゃない
よね？
目を覚ませ！
ギューッ
つねって
みよう。

チャプッ
ガラガラ
そっちから
離せよ。
い、痛いん
だけど。
ギューッ
ギューッ

昨日のあの水槽だ！
ただし、公正を確保するために２回目の対決の実験課題は変更しました。

変更したって？同じように見えるけど？
そう言えば……。

両チームとも水槽が２つよ。

２つの水槽にはそれぞれ別の水が入っています。片方はキレイな海水で、もう片方はさまざまな原因で汚染された海水です。
見ただけで違いが分かる！
キレイな海水と汚染された海水！

陸地から流れ込んだ汚染物質が
蓄積することで海洋汚染は
どんどん深刻になっています。
特に潮流や海流によって汚染物質が
広い地域に拡散され生態系を破壊
していることが最大の問題です。
ゴクッ
2回目の対決の課題は
汚染した海水から汚染物質を
探し出すことです。

対決時間は1時間。
探し出した汚染物質の
数によって相対的に
追加点が与えられます。
汚染物質を
探し出すことが
課題!!

「私たちは海と密接な関係にある。
私たちが海に戻る時は、航海するにしても
海を眺めるにしても、私たちは私たちが来た
ところからその場所へ戻ることになるのだ。」
アメリカの大統領だった
ジョン・F・ケネディの言葉です。
ドドーン
これが
再対決のテーマを
海洋汚染にした
理由です。
戻ることになる……！

この
実験で……。
スーッ
国に帰る
チームが
決まる！
コクッ

では、これより
実験を始めます！

ついに
始まった！

音大きくして。
ボリューム
最大
だけど。

今度は絶対ミス
しちゃダメよ！
ギュッ

私たちが実験できる時間は1時間よ。
それだけありゃ十分だ！
帰りの荷物までまとめたのに、こんな機会がもらえるなんて……。
ベストを尽くして、がんばろう！

これから残り時間の間、僕が知ってるすべてを絞り出すぞ！
体中の気を集めて……。
スーーッ

海水の汚染物質よ、答えておくれ！
ウ〜ッ
何してんの？

オオ、出たぞ。海洋汚染のいちばんの原因は魚のフン！
ドドーン
あら！
フワ
フワ
どうやったらそんな発想になるんだ？
簡単だよ！ウォンソも十分分かるよ。魚は水の中で食べて出して、食べて出してを繰り返すから……。
フゥ……
海洋汚染の原因の約80%は……。

陸地から流れ込んだ汚染物質さ。海全体で作られる汚染物質はほとんどない！
魚のフンじゃなくて？
チェッ

それに流れ込む汚染物質の種類もスゴく多様ね。
コクッ
生活排水や畜産排水
ドン……
船舶や油田から流出した油
重金属が混じった工場排水
原子力発電所から放出される放射能汚染水
プラスチックや発泡スチロールなどのゴミ
どうして汚染物質がこんなに多いんだ？
ウワァァ
待てよ、じゃ……。この海水の中にある汚染物質もそれだけ多様ってこと？
ウ〜
スラスラ

そう、この海水の中には多様な汚染物質があるハズ。
じゃ、こんなことしてる場合じゃない！
スラスラ

ウッ
たくさん見つけるほど有利だから、今すぐ……！
スーッ

ウジュ、まさか汚染物質を手ですくおうとしてるんじゃないよね？　ゴミをすくうんじゃないんだから。
誰が手ですくうもんか。フン。
スーッ

この中には少なくとも10種を超す汚染物質があるハズ……。問題は時間なんだ。
時間が足りないってこと？
時間？

汚染物質が100個あったとしても実験で見つけ出せなければ意味がない。でも、実験１つするだけで時間はギリギリなハズ。

１時間でどれだけ多くの実験ができるかが今回の勝利のポイントよ。
でも、それぞれが別の実験をするのは危険だよ。実験材料の管理も難しいし。

じゃ、実験の工程が似た汚染物質を探し出すのはどうだろう？

実験工程が似てる？

そうだ！
化学汚染物質の測定実験はだいたい工程が似てたよね。
まさにそれよ！

実験の工程を分担すれば
同時にいろいろな実験ができるぞ。
そう。だから、時間がたくさん節約できるハズ。
私たちは実験の息がよく合うからね！

海水を分けて試料を用意。
汚染物質の検出試薬の投入。
実験の工程を分担して同時にいろいろな実験をするだって？
加熱と冷却処理。
汚染物質の確認。
サッ
サッ
サッ
サッ
これこそ俺たちじゃなきゃできない実験だな。
よし、始めよう！
でしょ！

時間が足りなきゃ各自が
実験を担当すれば？
僕らは
4人だから！
実験工程を
分けようって？
ウチのチームは
実力の差が大きい
から危険だよ。
クール

イヤ、1人当たり
実験を1つずつ担当しようって
意味だよ！

1人で最初から
1つの実験を担当して
進めるって？
各自、
実力に合った
実験なら
いいけど
……。
……。

1人で実験していてミスしたり止まったりしたら
ウォンソだけが忙しくなるんじゃない？
他の実験の
邪魔になるかも
知れないわね。
そうなると
実験が台無しに
なりそうだけど。
それでいいじゃん？

1人がミスしても3人が成功すればいいんだ！　うまくいけば、汚染物質を4つも探し出せるし、最悪の場合、1つだけ成功したとしても、僕らは4つの実験をしたってことだろ。
ドキドキ
国際実験オリンピックで自分だけの実験をするだと!?

最後の対決にしてはスゴく名案じゃない？

できるかい？
自信満々
この天才に聞いてるの？

ウジュが自信あるなら僕も問題ない！

私も一生懸命やってみるわ。

あわてて書いたけど、試薬の容量さえしっかり守れば結果は大きく違わないハズ。注意が必要な試薬の名前も書いておいたからよく見といて。
これが実験方法。
ポン
油水分離実験……。
緑藻観察実験？
重金属の検出！

ファイト。
クルッ
みんな……！
フム……

まさかあれ、応援したの？
タタタ
チェッ
僕まで照れくさい。
そうみたいだね。

じゃ、僕らもがんばろう!!
うん！
よし!!
じゃ、始めるね。
うん、気を付けて。

＊分光光度計　光の強さを波長別に測る装置で、試料の濃度や種類、構造などが分析できる。

両方の海水の緑藻の量を
顕微鏡で観察して、
溶存酸素量の測定実験を
通じて比べる。
キレイな海水の緑藻
汚染した海水の緑藻
汚染した海水の
鉛の浸出実験を
行う。
ブン
ブン
お願いだから
出て。
お願い～。
両方の海水から
フェノール類
検出の実験を
行う。
2つの海水の
色が違う！
ろ過紙を利用して
汚染した海水から
油を分離する。
ジャー

残り時間
27：30
15：07
07：10

両チームとも
スゴい集中力！
こんな面白い
実験対決、本当に
久しぶりだ。
僕まで
緊張する。

ブル
ウウ……。
ブル

もっと
がんばれ！
もっと!!
03:50

ウウウッ
地獄から生き返ったんだから
死ぬ気でやらなきゃ！
聞いてるのか、
ウォンソ！
03:
もっとがん……、
が……！

ハァ
ハア～！
久しぶりの快便。
気分最高！
ポトン
汚染された
海水だからか、
ひどい臭いがする。
クン
クン

あれ？
これは……。
4番目の試料だ！
時間が
あまりない。
もう少し、
少しだけ！
00：00
ピイイイ
実験の時間が
終了しました。みなさん、
実験器具から
離れてください。

対決が……、
終わった！

パチ
パチ
パチ
パチ
パチ

両チームとも、
後悔のない
実験になった
ハズ。
ハァ……
フッ……

みなさん
お疲れさま。
それでは、今から
それぞれが探し出した
汚染物質を発表して
ください。
はい。
ザッ
ザッ
実験対決㊷もお楽しみに。

海洋汚染

海は自ら汚染物質を浄化する自浄能力を持っています。しかし、自浄能力を超える汚染物質が海に流れ込むことで、海洋汚染は日々深刻になっています。海洋汚染は海を破壊するだけなく、人間や地球の生態系全体を脅かしています。

陸地から流れ込んだ汚染物質

海洋汚染の原因の約80％は陸地から流れ込んだ汚染物質です。家庭からは皿洗いや洗濯をする際に使う合成洗剤、シャンプーやリンス、食べ物のカスなどが排出されます。農村からは農業の際に使用する農薬や肥料、家畜のふん尿などが排出されます。工場からは浄化処理がなされていない廃水や産業廃棄物などが排出されます。特に、工場から排出される廃水には重金属などが含まれている確率が高く、一層大きな不安を引き起こします。汚染物質が過度に流れ込んだ海では、プランクトンの異常増殖により海水が赤く染まる赤潮が現れることもあります。そして、赤潮によって水中の酸素が足りなくなり、魚が大量に窒息する現象も起きます。

赤潮によって赤く染まった海

マイクロプラスチック

マイクロプラスチックは大きさが5mm未満のプラスチック粒子のことを言います。歯磨き粉やシャンプー、洗顔料などにも含まれています。マイクロプラスチックはあまりに小さいため下水処理施設で除去されず、そのまま海に流れ込みます。海に流れ込んだマイクロプラスチックは、海洋生態系を破壊するだけでなく、エサと間違えてマイクロプラスチックを食べた魚や貝などを通じて人間の健康を脅かします。

さまざまな日用品にマイクロプラスチックが含まれている

船舶事故による油の流出

船舶や油田の事故によって海に流れ出す大量の油も海洋汚染の大きな原因になっています。流出した油は気象条件や海流によって急速に広い地域に拡散し、海洋表面に薄い油の膜を作り、海洋生物が太陽エネルギーや酸素を得る邪魔をします。これによって、海洋生物の個体数が減少し、その上、生物の種が絶滅する段階に至ることもあります。実際、2007年には、韓国西海岸の泰安沖で原油タンカーとバージ船が衝突する事故がありました。この事故によって、1万5,000トンの油が流出し、その被害によって魚介類が大量死しました。

ⓒ聯合ニュース
泰安海上に油が流出した様子

二酸化炭素の排出

海は地球温暖化の原因である大気中の二酸化炭素を吸収します。しかし、環境汚染によって大気中の二酸化炭素の量が増加し、海が吸収する二酸化炭素の量もまた増えました。これにより、弱アルカリ性だった海水が急速に酸性化しています。酸性化した海水では、貝やウニなどの固い殻を持つ生き物の数が減ります。殻の主成分は炭酸カルシウムです。海水が酸性化すると炭酸カルシウムの生成を妨害し、形成が難しくなるからです。このような状況が続くと、食物連鎖が崩れ、海の生態系全体に悪影響を及ぼすことになります。

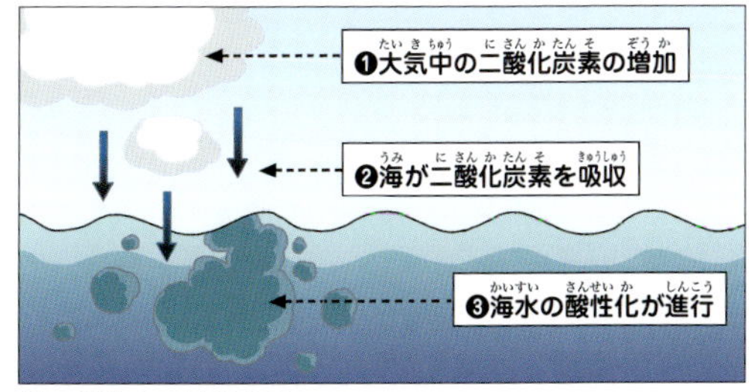

海の酸性化の進行過程

ⓒRich Carey
海の酸性化によって死んだサンゴ

日本語版編集協力　東京大学サイエンスコミュニケーションサークルCAST

㊶ 海の資源と汚染の対決

2022年５月30日　第１刷発行
2022年９月10日　第２刷発行

著　者　文　ストーリーa.／絵　洪鐘賢
発行者　片桐圭子
発行所　朝日新聞出版
〒104-8011
東京都中央区築地5-3-2
編集　生活・文化編集部
電話　03-5541-8833（編集）
03-5540-7793（販売）

印刷所　株式会社リーブルテック
ISBN978-4-02-332206-6
定価はカバーに表示してあります

落丁・乱丁の場合は弊社業務部（03-5540-7800）へ
ご連絡ください。送料弊社負担にてお取り替えいたします。

Translation：HANA Press Inc.
Japanese Edition Producer：Satoshi Ikeda
Special Thanks：Kim Da-Eun / Lee Ah-Ram
(Mirae N Co.,Ltd.)

この本は広開本製本を採用しています。
株式会社リーブルテック